Evita

EL RETRATO DE SU VIDA

Evita

EL RETRATO DE SU VIDA

Producción y dirección editorial
TOMÁS DE ELIA Y JUAN PABLO QUEIROZ

Brambila
BUENOS AIRES

Para información, escribir o dirigirse a Ediciones Brambila,
Av. Leandro N. Alem 661, (1001) Buenos Aires, Argentina.

Frontispicio: *Eva Perón en su dormitorio de la residencia presidencial. Julio de 1950.*

Derecha: *El matrimonio Perón en la residencia presidencial momentos antes de partir a una función de gala en el Teatro Colón, el 9 de julio de 1950.*

Indice: *Eva Duarte retratada en sus tiempos de actriz.*

p. 9: *Eva Perón se dirige a los trabajadores desde los balcones de la Casa Rosada el 1 de mayo de 1951.*

p. 11: *Simpatizantes del gobierno de la Revolución Libertadora, que derrocó a Perón en 1955, queman imágenes de Evita y propaganda peronista en la Plaza de Mayo.*

p. 13: *Eva a los quince años en Junín, poco antes de partir a la ciudad de Buenos Aires.*

p. 189: *Evita se dirige hacia la residencia presidencial. Al fondo, el reloj de la torre del Ministerio de Trabajo marca la hora en que terminó de trabajar.*

p. 192: *Retrato de Eva Perón por Nicolás Uriburu.*

Diseño: Kevin Hanek

Primera edición
ISBN 987-95398-1-8

Impreso en Sfera International, Milán, Italia, en marzo de 1997.

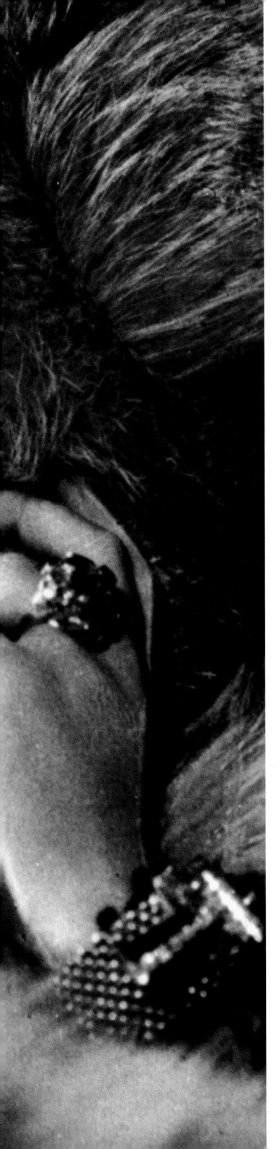

Indice

Prefacio

ESDE EL MOMENTO EN QUE HIZO su aparición en la escena pública, Eva Perón concitó un interés que los años y los avatares políticos no han aminorado. Hoy, medio siglo después, el mercado responde a la curiosidad de las nuevas generaciones con una marea de biografías, novelas, investigaciones periodísticas, obras teatrales, películas... En todo lo que se escribe y hace sobre ella, pasa a primer plano la interpretación de un destino y una personalidad únicos. Evita sigue siendo un enigma histórico, del que todos creen poder atrapar las claves proponiendo la "verdadera" Evita, la "real", más allá del mito. La misma multiplicidad de los intentos parece condenarlos al fracaso en ese aspecto. Pues aun emprendida con el ánimo más objetivo, la búsqueda se colorea de pasión a medio camino: la pasión resulta inevitable en el acercamiento a "esa mujer", que se consumió ella misma en el fuego de la pasión.

Hemos creído que un libro como este podía llenar un vacío, aun dentro del exceso de material que circula sobre Eva Perón: un libro de imágenes ordenadas de modo que ofrecieran una narración visual de su vida. Y en efecto, a medida que las reuníamos empezamos a sentir que emergía, más allá de las interpretaciones pero complementándolas a todas, una Eva Perón real al fin, o al menos todo lo real que puede serlo hoy. La fotografía puede mentir, pero aun mintiendo dice su verdad: lo que estamos viendo pasó, y antes o después de las reflexiones históricas o políticas que nos susciten las imágenes, volvemos a ellas con la sensación de hallarnos ante un fragmento concreto del pasado, irreductible a las palabras. Y a quien quiera llevar adelante la polémica, las fotos le darán nuevas perspectivas y le permitirán desmentir una afirmación, reafirmar otra o ajustar un detalle.

No ignoramos el hecho de que la selección de las fotografías puede ser tendenciosa. Creemos de buena fe haber sorteado ese peligro gracias al proyecto mismo del libro: recorrer toda la vida de Evita, desde la primera infancia hasta la muerte, y todos sus aspectos sin excepciones. Aquí está la niña de pueblo, la actriz, la primera dama vestida por Dior, la interlocutora de los trabajadores, la combatiente clasista, la mujer enferma y muchas más. De hecho, esa es una de las sorpresas que espera a quien hojee el libro: la multiplicidad de figuras distintas que se revelan en Evita. Su breve trayectoria (su vida pública cubrió escasos seis años) fue de tal intensidad que parece abarcar muchas vidas. Fotos separadas apenas por unos meses muestran a una mujer que ha evolucionado años, que es otra, y al mismo tiempo la misma, transportada por el ardor del cambio. En esa actitud residió para nosotros el atractivo de su figura, que nos llevó a emprender el trabajo de este libro: en el insólito coraje de Evita, que la impulsó a atreverse a romper viejos esquemas y traer algo nuevo al mundo.

Creemos que Evita fue muy consciente del valor de la imagen. Adelantándose a la "era de la imagen" que vivimos hoy, supo construir la suya con una habilidad intuitiva que no tiene parangón en la historia contem-

poránea. Envuelta en la controversia desde sus primeros pasos en la política, debió de adivinar que aun cuando las discusiones sobre su actividad no se acallaran nunca, las fotografías seguirían trasmitiendo, como mensajes cifrados, su energía, su pasión por el trabajo, su relación entrañable con el pueblo.

QUIZÁ LO MISMO SINTIÓ la Revolución Libertadora que derrocó al gobierno peronista en 1955, al lanzar una campaña de destrucción de todo material visual de Eva y Perón. La mera posesión de una fotografía de Evita estaba penada con la cárcel. Esto puede señalar una característica argentina: la pretensión de borrar un pasado incómodo con la destrucción de sus monumentos y documentos. La demolición hasta los cimientos de la Residencia Presidencial donde vivió y murió Evita había tenido su antecedente en 1899 con la destrucción de la casa de Rosas en Palermo, y no son casos aislados. En muchos de los archivos y bibliotecas que consultamos durante nuestra investigación, era habitual que hubiera huecos (imposible decir si debidos al odio o al amor) en el sitio donde debía haber material sobre Evita. Al buscar en libros, las páginas que según el índice tenían una fotografía de ella estaban arrancadas. En las hemerotecas, faltaba justamente el ejemplar del diario o la revista donde se habían publicado sus fotos. Los coleccionistas, generosos en todo lo

demás, escondían sus imágenes de Evita. Las pasiones despertadas cincuenta años atrás han tomado formas extrañas e impredecibles.

Aun así, el trabajo paciente fue dando sus frutos. Examinamos, una por una, cerca de treinta mil fotos. Convencimos, no sin esfuerzo, a tres fotógrafos que la retrataron, a cedernos buena cantidad de fotos inéditas que se verán aquí por primera vez. Las reticencias de estos hombres se entienden sabiendo que habían sufrido persecuciones, amenazas y allanamientos a sus domicilios. Uno de ellos había ocultado sus negativos en el sótano de una chacra del sur argentino: allí los fue sacando para nosotros, entre el polvo y las telarañas, y la emoción de ese rescate fue uno de los puntos altos del trabajo. Además de las fuentes argentinas, consultamos archivos y colecciones privadas de Nueva York, París, Londres, Madrid y Roma. El álbum se fue completando hasta no quedar época de la vida de Evita que no estuviera representada. Aun su infancia, sobre la que tanto se ha fantaseado, se hacía visible en una serie de fotografías nunca reunida antes. Lo mismo puede decirse del capítulo dedicado a sus funerales, en el que la imagen de Eva desaparecía, pero sólo para estar más presente que nunca, latente en cada una de esas fotos impregnadas de dolor. Y del total surgía una convincente sensación de realidad, el retrato de una vida, con toda la frescura y novedad de una mirada que atraviesa el tiempo.

— TOMÁS DE ELIA Y JUAN PABLO QUEIROZ

Introducción

EL 26 DE JULIO DE 1952, A LAS VEINTE y veinticinco, un escueto comunicado oficial anunciaba desde Buenos Aires el fallecimiento de Eva Perón, la "jefa espiritual de la Nación". Aunque esperada desde hacía meses, la noticia conmocionó al país, que se vistió de luto: más allá del duelo oficial, de las faraónicas exequias, y del culto estatal que se estableció, había un sentimiento genuino de piedad y dolor que se filtraba a través de las barreras políticas, por entonces muy acerbas. Evita era una mujer de apenas treinta y tres años, y su figura había llenado la escena pública argentina como nunca antes lo había hecho otra. El precio de esta exposición fue un juicio apasionado que tomó formas extremas: en la clase obrera una veneración casi religiosa, de la cual la adulación oficial fue efecto, no causa; y en las clases media y alta, un odio que no escatimó calumnias. Entre las mujeres, a la devoción de la obrera o empleada que se identificaba con la mujer de origen humilde triunfante y justiciera, respondía el rechazo de la mujer de un medio más acomodado, que veía en ella a la oportunista ambiciosa en guerra contra los valores establecidos. En su momento, nadie pudo verla con indiferencia ni hacer un balance de sus virtudes y defectos; su muerte prematura impidió el distanciamiento necesario para acercar esos extremos. Su trayectoria fulminante ha sido desde entonces un enigma histórico, velado por el mito que engendró y por los antagonismos que su muerte no apaciguó.

La historia comenzó en el pueblo de Los Toldos, en la campaña bonaerense, el 7 de mayo de 1919, cuando Juana Ibarguren dio a luz a la menor de sus cinco hijos, María Eva. El padre, Juan Duarte, era un hacendado conservador oriundo de una ciudad cercana, Chivilcoy. Con el paso del tiempo, la posición económica de Duarte fue deteriorándose; en enero de 1926, muere en un accidente automovilístico, y a partir de entonces, Juana y sus hijos debieron valerse por sí mismos. Los hermanos eran, por orden de edad, Elisa, Blanca, Juan y Erminda. Elisa y Juan se emplearon; Blanca estudiaba para maestra en Bragado; la madre cosía para afuera. Eva empezó la escuela a los ocho años. Los Toldos había tomado su nombre de las vecinas tolderías del cacique Coliqueo; era un pueblito minúsculo, de unos tres mil habitantes, donde el paso del tren era el acontecimiento más importante de la jornada, las siestas eran largas, y los árboles sombreaban las calles de tierra. La casa era modesta, pero los niños disponían de grandes espacios abiertos donde jugar, trepar a los árboles, remontar barriletes. Un día de campo en la orilla de una laguna cercana era ocasión digna de perpetuar en una fotografía. Blanca y Elisa, de noche, le contaban cuentos a la más pequeña. Erminda, por ser la más cercana en edad, era la amiga inseparable de Eva. En un libro de memorias, *Mi hermana Evita*, Erminda relata: "...mamá no podía comprarnos juguetes. Una máquina de coser y ella, trabajando de la mañana hasta pasada medianoche, cubrían nuestras necesidades. Reemplazábamos el

juguete con el mundo mágico de la naturaleza". Y recuerda la anécdota de un juguete que la pequeña Eva deseó con fervor, y les pidió a los Reyes Magos: una muñeca de gran tamaño. La obtuvo, pero la muñeca, alta y hermosa, tenía una pierna rota; la madre le explicó que se había caído de uno de los camellos de los Reyes Magos; "lo que no te explicó nuestra madre es que había adquirido la muñeca casi por nada, sólo unas monedas, justamente a causa de esa rotura. Pero te dijo que los Reyes te la habían traído para que la cuidaras. Una misión..."

En 1930 la familia se mudó a una ciudad cercana, Junín, donde Eva retomó la escuela. Durante esos años se definió su vocación de actriz. Este fue el eje sobre el que se concentraron sus intereses de adolescente: el recitado de poesías, las audiciones radiales, la colección de fotos de artistas, el cine de pueblo. Su hermana Erminda formaba parte de la Comisión de Cultura del Colegio Nacional; llevada por ella, Eva, sin ser alumna, se integró en el grupo de teatro estudiantil. También pudo probar sus dotes artísticas recitando poemas por los altoparlantes que un comerciante ponía una vez por semana a disposición de los aficionados locales.

Una vocación artística en una chica de pueblo no es cosa rara. En ese entonces, y en ese medio, las alternativas no eran muchas ni muy halagüeñas: un empleo subalterno o el matrimonio y "la esclavitud cierta del hogar" (palabras de Evita). Lo que sí es raro, y aquí comienza la vida histórica de Evita, es poner en práctica el anhelo de romper amarras. Ella misma lo puso en términos de "libertad": "muy temprano en mi vida dejé mi hogar y mi pueblo, y desde entonces siempre he sido libre". Realmente fue muy temprano: a los quince años, terminada laboriosamente la escuela primaria, su decisión estuvo tomada y no tardó en llevarla a los hechos más tiempo del que le llevó conseguir el visto bueno de la madre.

Esto último no debe de haber sido fácil, y quizá la niña se haya ido con un permiso a medias. Las versiones de la partida difieren. La leyenda más tenaz hace participar al cantante de tangos Agustín Magaldi, que habría aceptado hacerse cargo de la joven postulante. (Magaldi murió en 1938, y no dejó testimonio de este episodio.) La versión de la familia, más razonable, es que ante la férrea decisión de su hija, doña Juana la llevó a Buenos Aires a rendir una prueba en una radio, y Eva finalmente logró quedarse en casa de la familia Bustamante, amigos de su madre.

Eva era una de los tantos provincianos que anhelaban llegar a la gran ciudad, aunque los sueños que traían consigo luego chocaran contra una realidad desalentadora. Eran años de desocupación, miseria y hambre. La mano de obra proveniente del interior era atraída por el proceso de industrialización iniciado en esa década; pero no fue el caso de los hermanos Duarte: aun en sus lapsos de mayor necesidad, la familia no se proletarizó; las hermanas fueron maestra, empleada y ama de casa; en Buenos Aires, Juan trabajó como corredor de comercio, y Eva como actriz, lo que fue la apuesta más audaz.

BUENOS AIRES EN LOS AÑOS 30 era la ciudad más cosmopolita y elegante del continente. Durante medio siglo la clase alta había poblado su zona norte de espléndidas construcciones que le habían valido a Buenos Aires el mote de "París sudamericano". En uno de esos palacios, el levantado por la familia Unzué, de fortuna ganadera, transformado en Residencia Presidencial, viviría Evita sus últimos años. El centro de la ciudad, con sus calles que el tango haría famosas en el mundo (la ensanchada Corrientes la primera y más característica) abundaban en cafés, restaurantes, teatros, cines, tiendas, y un movimiento como el de cualquier gran capital europea. La contracara de ese esplendor eran los conventillos, las pensiones sórdidas y, en los suburbios, más allá de los barrios modestos adonde llegaban los tranvías, los asentamientos de inmigrantes del interior que se transformarían pronto en "villas miseria".

Fue a esa ciudad contrastada a la que llegó Eva en 1935, llevando una valija de cartón con sus pocas prendas. El desamparo y la soledad debieron de ser especialmente duros para la adolescente; hay que suponer en ella una fuerza de carácter poco común, quizá el orgullo, seguramente la ambición, para resistirse a volver al seno de la familia después de las primeras dificultades.

Tampoco cedió a la tentación de buscar un empleo de comercio o de oficina ni a la salida obvia por la vía del matrimonio. Los primeros pasos de su carrera artística, que duró diez años, fueron en el teatro. A poco de llegar, y antes de haber cumplido los dieciséis años, tuvo un breve papel en una pieza ligera, *La señora de los Pérez* que representaba en el Teatro Comedia la compañía de Eva Franco, una actriz de primera línea. Al año siguiente, 1936, salió de gira por el interior con la compañía de Pepita Muñoz, y durante el verano participó en una obra (adaptación de una pieza de Lilian Hellman) en Buenos Aires y Montevideo. Dos años más, con largas interrupciones, siguió probando suerte en los escenarios, pero sin pasar de papeles muy secundarios. Sus compañeros la recordaban retraída, seria y excesivamente delgada. Su talento de actriz tampoco llamaba la atención. Algo en lo que coincidían todos, y siguieron notando todos los que la conocieron: la calidad impecable de su piel.

A diferencia del teatro, el cine estaba en auge. Eva apareció fugazmente en algunas películas desde el año 1937, sin destacarse. También fue fotografiada para publicidades. Todo lo cual no alcanzaba sino para una subsistencia precaria, en cuartos de pensiones o modestos departamentos compartidos con colegas amigas.

La gran posibilidad se la dio otro medio, en el que entró por primera vez ese año 1937: la radio. Fue aquí donde sus dotes la hicieron brillar. La radio era entonces una pasión popular, con un público cuantioso. Evita entraba en un contacto cotidiano con millones a través de su voz. El tono patético de las historias que interpretaba, una intensidad emocional de la que después dio sobradas pruebas, explican su ascenso, sin necesidad de recurrir a los argumentos de la leyenda negra, que vio en ella una trepadora que usaba hombres influyentes para lograr sus fines.

En 1939 encabezó su propia compañía de radioteatro, con una pieza histórica, *Los jazmines del ochenta*, escrita especialmente por el prestigioso Héctor Pedro Blomberg. El radioteatro se transmitió diariamente por Radio Prieto entre mayo y julio. Le siguió otro, también de Blomberg, *Las rosas de Caseros*. Hubo actuaciones en otras emisoras, Radio El Mundo, Radio Argentina, pero también lagunas de inactividad.

La revolución del 4 de junio de 1943 trajo cambios de importancia en el mundo radiofónico. Hubo una reglamentación de las emisiones, que respondía a la campaña de moralización lanzada por el gobierno militar (se desalentó el tango y los argumentos pesimistas en los radioteatros) y se hizo necesario obtener una licencia de Correos y Telecomunicaciones para cada programa que se emitía. A raíz de los trámites pertinentes, Eva Duarte entabló amistad con el interventor militar de esta repartición, coronel Imbert, y sobre todo con el secretario de éste, Oscar Nicolini, y su esposa. Es probable que estas relaciones le hayan abierto nuevos caminos y perspectivas. Por lo pronto, obtuvo un contrato en Radio Belgrano, donde interpretó ciclos de radioteatro de tema sentimental, policial, y uno, que se prolongaría hasta el fin de su actividad artística, de *Biografías de Mujeres Ilustres* de la historia. Entre otras, encarnó a Isabel I de Inglaterra, Sara Bernhardt, Margarita Weil de Paz, Isadora Duncan, Madame Chiang Kai Shek y Catalina la Grande.

UNA CATÁSTROFE NATURAL UNIÓ las vidas de Eva Duarte y el coronel Juan Domingo Perón: el terremoto que el 15 de enero de 1944 (a las veinte y veinticinco, hora predestinada) destruyó la ciudad de San Juan y dejó miles de muertos y heridos. El coronel había hecho su aparición en el campo político apenas unos meses atrás, con el golpe militar del 4 de junio de 1943, que destituyó al presidente conservador Castillo. Hay versiones contradictorias sobre el rol que desempeñó Perón inicialmente en la revolución, pero lo cierto es que a la larga fue él quien le dio su importancia histórica. Nombrado ministro de Guerra, obtuvo asimismo la dirección del Departamento Nacional de Trabajo al que transformó en Secretaría de Trabajo y Previsión, y, con el visto bueno del Estado Mayor, lo usó para captar adhesiones sindicales, con una política audaz de concesiones; contó con la ventaja de pasar casi desapercibido, y cuando sus camaradas de armas advirtieron la medida de su popularidad, y se alarmaron, ya era demasiado tarde.

Cuando tuvo lugar el terremoto de la provincia de San Juan en enero de 1944, Perón organizó desde la Secretaría de Trabajo la movilización nacional de socorro, en la que tuvieron papel preponderante las figuras más populares del mundo del espectáculo. Hacia fines de ese mes se realiza en el Luna Park un festival con el propósito de ayudar a las víctimas. Allí se conocieron Eva y el coronel, si no lo habían hecho unos días antes. Poco después comenzaron a habitar juntos el departamento de la calle Posadas y sus destinos serían inseparables. Perón tenía cuarenta y nueve años y era viudo desde hacía cinco.

En los meses que siguieron, Perón fue ocupando gradualmente el centro del poder político. En marzo renunciaba el presidente Ramírez y asumía Farrell, quien hizo a Perón vicepresidente, además de ministro de Guerra y secretario de Trabajo. En el mes de junio, en su primera incursión política, Eva inició un ciclo de charlas matutinas por Radio Belgrano promocionando los principios de la revolución del 4 de junio. Los textos, escritos por el mismo guionista de sus radioteatros, Francisco Muñoz Azpiri, tenían ya el tono exaltado y justiciero que tendría la actuación pública de Evita.

Su agenda era frenética: además del programa de la mañana, tenía un radioteatro a la tarde, y las *Biografías de Mujeres Ilustres* por la noche, todo en Radio Belgano. En mayo fue elegida presidenta de la Agrupación Radial Argentina, asociación gremial de la que había sido fundadora el año anterior. Y, con el prestigio que le daba estar junto a uno de los hombres con más poder en el país, obtuvo un contrato para filmar una importante producción de los Estudios San Miguel, *La cabalgata del circo*, donde la protagonista fue Libertad Lamarque. Inmediatamente, un papel protagónico, en *La pródiga*, como la anterior dirigida por Soffici. Pero cuando la película estuvo terminada, Perón ya era presidente, y Eva prefirió que no se estrenara.

Perón se había vuelto progresivamente una figura irritante para la oposición, e inquietante dentro del gobierno. Un elemento extra de irritación era la presencia de Eva a su lado. No detrás de él, como habría sido socialmente aceptable, sino junto a él, tomando parte en sus intereses y en su combate. Aquí hubo una coincidencia de dos personalidades atípicas, que entendieron que podían complementarse.

El 13 de octubre de 1945, parte de la oficialidad intenta con éxito obtener la renuncia de Perón a sus cargos. De ese modo, el continuo clima de enfrentamiento parece resolverse. Inmediatamente es detenido y conducido a la isla Martín García. Dicha circunstancia y la inminente caída de Perón significaban para los obreros la pérdida de todas las conquistas logradas y la abolición de la política laboral. En la madrugada del 17 de octubre los trabajadores abandonan sus lugares de trabajo y marchan hacia la Plaza de Mayo para exigir la presencia del coronel: el vacío producido por su alejamiento era a esa altura imposible de llenar. La movilización obrera, hecho inédito en la historia del país, fue vista como la emergencia de un país oculto hasta entonces, y la primera intervención directa de la voluntad de las masas en el curso de la política argentina. Aclamado por una multitud que vitorea su aparición, Perón se asoma al histórico balcón de la Casa Rosada y se decide convocar a elecciones. Nace allí un líder y queda definida la vida política argentina de la siguiente década.

Sobre el papel que desempeñó Eva el 17 de octubre hay testimonios encontrados. Ella misma nunca asumió explícitamente la versión que la hizo artífice del movimiento masivo hacia la Plaza de Mayo, y marchando a la cabeza de los descamisados. Su posición en ese momento, con conocimiento de las intrigas y maniobras que estaban sucediendo, pero todavía sin el poder para intervenir, vuelve improbable transformar a Eva en el agente movilizador de dicha jornada fundante del peronismo. Pero, dado su carácter y todo lo que veía en juego en ese trance, también es difícil imaginarla por completo pasiva. En una de las cartas que le escribió desde su breve encarcelamiento, Perón hablaba de pedir el retiro, casarse, e irse "a cualquier parte a vivir tranquilos". El retiro fue concedido (y anulado pocos meses después), el casamiento civil tuvo lugar el 22 de octubre y el 10 de diciembre el religioso, pero ya no habría vida tranquila para ninguno de los dos.

LOS MESES SIGUIENTES fueron vertiginosos. Se formó, a partir de los contactos gremiales y políticos que había hecho Perón en la Secretaría de Trabajo y Previsión, el Partido Laborista, para dar marco a su candidatura presidencial, y se inició la campaña para las elecciones de febrero de 1946. La oposición, en un amplio espectro que iba de conservadores a comunistas, se coaligó en la Unión Democrática. La campaña fue agresiva y violenta, de palabra y de hecho. En un tren especial llamado *El Descamisado*, hacia fines de diciembre, comienza una gira proselitista por el interior del país. Es un acontecimiento único para la historia argentina que la mujer de un candidato lo acompañe; aunque no pronunció discursos, Eva participaba en la organización de los actos, repartía escudos, entraba en contacto con la gente. Nacía otra mujer. La actriz había quedado atrás definitivamente. No obstante el 8 de febrero un incidente le demostró que no bastaba con ser la esposa del líder. En un mitin de trabajadoras que tuvo lugar en el Luna Park y ante la ausencia de Perón, que no pudo asistir por encontrarse enfermo, Eva intentó reemplazarlo como orador, pero no pudo hablar por los gritos del público que reclamaba al líder.

Al llegar Perón a la presidencia, Eva adoptó una forma inédita de llenar su función de primera dama. Su personalidad la llevaba naturalmente a la acción, y las características de movilización social que tomaba el

peronismo naciente le daban un papel activo, potencialmente importante. Perón por su parte no le puso obstáculos. La redefinición de Eva a partir de ese momento se hizo con relación a Perón como conductor y realizador de los reclamos de la clase obrera: ella sería el eslabón afectivo entre las masas y el líder, la garantía contra desviaciones, el rostro humano de la política. En las exigencias de este papel, asumidas con una energía que no se avergonzaba de decirse fanática, se dibuja todo el personaje de Evita.

Su primer centro de acción fue el cuarto piso del Palacio de Correos, cedido por su amigo Nicolini, por entonces director general de Radiodifusión, en el que inicia la atención de las delegaciones de trabajadores que pedían su colaboración para organizar los sindicatos y su intervención para lograr todo tipo de mejoras. Esta relación con el gremialismo llegó a conformar su base de poder más sólida. Asimismo empezó a recibir a los carecientes que acudían por una gravitación natural a ella para plantear sus urgencias. El 25 de julio dirige un discurso a las mujeres argentinas para anunciarles las medidas adoptadas por el gobierno contra el agio y la especulación. Desde octubre se hicieron frecuentes las incursiones a los barrios humildes y las visitas a las fábricas.

La organización de su trabajo se hizo en la vieja Secretaría de Trabajo y Previsión, lugar simbólico pues allí había echado Perón las bases de su poder. Ahora era Ministerio de Trabajo; dice en *La razón de mi vida*: "Fui a la Secretaría de Trabajo y Previsión porque en ella podía encontrarme más fácilmente con el pueblo y con sus problemas; porque el ministro de Trabajo y Previsión es un obrero y con él Evita se entiende francamente y sin rodeos burocráticos; y porque allí me brindaron los elementos necesarios para iniciar mi trabajo".

Durante cinco años, hasta que la enfermedad se lo hizo imposible, acudió cotidianamente a la Secretaría, (así siguió llamándola siempre) en jornadas que se fueron haciendo cada vez más extensas. Su ritmo de trabajo era agotador, y lo imponía a sus colaboradores. Empezaba el día en la Residencia ocupándose de los casos más urgentes; luego iba a la Secretaría, donde recibía a peticionantes y gremialistas y no se marchaba hasta que todos hubieran sido atendidos. Aunque en 1947 se retiraba de la Secretaría a las diez de la noche; en años sucesivos, la jornada llegaba hasta altas horas de la madrugada. Durante su enfermedad se le aconsejó disminuir el agotador ritmo de trabajo a lo que se negó sin apelaciones: "No puedo, tengo mucho que hacer".

Su presencia física era necesaria. Oía de boca de los necesitados, y resolvía en el acto, pequeños o grandes dramas: falta de trabajo, una medicina, una vivienda.

En 1947, EVA PERÓN REALIZÓ una extensa gira por Europa, que constituyó un momento relumbrante en su carrera, y también uno de los más discutidos. El origen del viaje estuvo en una invitación hecha por el gobierno español a Perón, con quien Franco estaba ansioso por estrechar relaciones. España, políticamente aislada en Europa y excluida del Plan Marshall, había recibido generosos créditos de la opulenta Argentina de aquel entonces.

Evita llevó una comitiva de diez personas: su amiga Lillian Lagomarsino de Guardo, esposa del presidente de la Cámara de Diputados, su hermano Juan, que cumplía funciones de secretario privado de Perón, dos edecanes militares, el fiel Muñoz Azpiri, que le escribía los discursos, un fotógrafo, el peinador, y las dos primeras costureras de las casas de moda Henriette y Naletoff que habían preparado el vestuario. El magnate naviero Alberto Dodero la acompañaba en calidad de guía.

El 8 de junio llegó a Madrid, donde tuvo una recepción apoteótica, lo mismo que en todo el resto de España. Hubo veladas de gala, ópera, corridas de toros, condecoraciones (la más alta que concedía España, la Gran Cruz de Isabel la Católica), ciudades iluminadas en su honor, calles desbordantes de público que la aclamaba.

Tanta exaltación no se repitió en los demás países visitados, pero Evita hizo buen papel en todos ellos; su figura tomaba relieve internacional, prueba de lo cual es que la revista norteamericana *Time*, que no simpatizaba con el peronismo, puso un reportero a seguir la gira, y publicó un retrato de Eva en la tapa. De España pasó a Italia, donde el papa Pío XII le concedió una audiencia privada de media hora, tratamiento reservado a reyes y jefes de Estado. En París, después de cumplir con las formalidades protocolares Evita sólo salió del Hotel Ritz para conocer Versailles (cerrado desde la guerra, y que se abrió para ella) y la catedral de Notre Dame, donde hizo de guía el cardenal Roncalli, futuro papa Juan XXIII. Hubo unos días en la Costa Azul, una visita a Mónaco y un paseo por el

Mediterráneo en un yate de Dodero. La visita a Inglaterra se suspendió, y fue reemplazada por Suiza. Por último, Portugal, y la despedida. Todo el viaje estuvo jalonado de visitas a barrios obreros y a instituciones de acción social, por iniciativa de Evita, puesto que estaban fuera del programa. Hizo donaciones aquí y allá, y una más importante para los damnificados por una explosión en el puerto de Brest, que tuvo lugar durante su visita a Francia.

El cruce del Atlántico de regreso se hizo en barco, lo que le dio unos días de descanso necesarios después de más de dos meses de actividad incesante. De paso por Brasil y Uruguay, tuvo una agenda compacta de actos oficiales, y el 22 de agosto era recibida en triunfo en Buenos Aires.

Un mes después de su regreso, el 23 de septiembre de 1947, se promulgó la ley que daba el voto a la mujer. Evita había hecho suya esa causa desde la asunción de Perón, y el derecho quedó ligado a su nombre, pese a que la lucha de las mujeres argentinas por obtenerlo llevaba medio siglo. En la nueva etapa, fue Evita la portavoz y defensora natural de esos derechos, ahora íntimamente ligados a los cambios en el sector laboral.

En 1949 se creó el Partido Peronista Femenino. Eva fue elegida como presidenta plenipotenciaria del mismo y sostuvo el principio fundamental que era el mantenimiento de la unidad en relación con la doctrina y a la persona de Perón. Meses mas tarde se inauguraba la primera Unidad Básica, de las que pronto habría miles, cumpliendo tareas de acción social a la vez que de adoctrinamiento. Los frutos se verían en las elecciones presidenciales de noviembre de 1951, cuando un 64% del padrón femenino votó por el peronismo. Al mismo tiempo, el Partido Peronista se caracterizó por ser el primero en llevar mujeres en sus listas.

L A ACCIÓN SOCIAL EMPRENDIDA por Evita fue pasando por distintos estadios, que se sucedieron con la prisa con que ocurrió todo en ese lustro. Fue en el transcurso de 1947 cuando se evidenció la necesidad de esa misma acción social pero con una estructura más orgánica. De ahí surgió la Fundación Eva Perón, que en palabras de Evita fue creada "para cubrir lagunas en la organización nacional". Dichas "lagunas" tenían lugar sobre todo en el cuidado de los ancianos, los niños y las mujeres. En los tres rubros hubo una sucesión ininterrumpida de emprendimien-

tos: hogares de ancianos, escuelas, planes de turismo infantil, colonias de vacaciones, campeonatos deportivos infantiles y juveniles, hospitales especializados, hogares de tránsito para madres solteras, policlínicos, un tren sanitario, la Escuela de Enfermeras y viviendas para obreros. El Parlamento dictó varias leyes para dotar económicamente a la Fundación, a lo que se sumaban las donaciones de los sindicatos, con los que Evita siguió en estrecho contacto hasta el fin de su vida: puede decirse que fue su ambiente de elección, en el que se sentía más cómoda y a gusto. El secretario general de la CGT, José Espejo, estuvo a su lado cotidianamente todos esos años.

En la Secretaría recibía a las delegaciones gremiales y a los innumerables peticionantes, gente humilde de todo el país, a la que atendía con una cortesía y una dedicación que es preciso reconocer genuinas. Todos los testimonios coinciden en lo vivo de su interés por los problemas que le traían, en el tiempo generoso que le brindaba a cada uno, en su cordialidad sin paternalismo. Su llaneza no era afectada pues ella misma era una mujer del pueblo. Por otra parte, su trato era igualmente informal con todo el mundo: gremialistas, legisladores, ministros. Salvo que con estos últimos era más enérgica e impaciente que con sus modestos visitantes.

Su estilo de vida era por demás austero: no fumaba, no bebía alcohol, apenas si comía, muy de tanto en tanto pasaba un fin de semana en la quinta de Perón en San Vicente, no asistía a más fiestas de lo estrictamente necesario.

Y en las grandes celebraciones, de las que el 17 de octubre era la principal, su presencia era infaltable en el balcón de la Casa Rosada al lado de Perón. La plaza colmada se electrizaba al sonido de su voz, amplificada por los parlantes; muchas veces el discurso se transformaba en un diálogo, con las respuestas coreadas por cientos de miles de gargantas.

El estilo personalista y ejecutivo de Eva mantuvo el ritmo de trabajo de la Fundación; todas las obras eran supervisadas por ella, tanto durante su construcción como en su funcionamiento. Las visitas eran frecuentes, muchas de ellas en compañía de personalidades extranjeras de paso por el país. Evita insistía en que todo se hiciera a lo grande, aun (y especialmente) lo destinado a los más humildes.

En algún momento de 1951 se detectó su enfermedad, un cáncer ya avanzado. Es posible, aunque improbable, que eso haya influido en la imposibilidad

de Evita de aceptar la candidatura a la vicepresidencia, episodio todavía no debidamente aclarado. Su candidatura había venido proponiéndose, sin que ella la desautorizara, desde tiempo atrás. El momento definitorio fue el llamado Cabildo Abierto del Justicialismo, el 22 de agosto, en la avenida 9 de Julio. En un memorable diálogo con una multitud pocas veces reunida (se habló de dos millones de personas), Evita intentó presentar su renuncia "a los honores, no a la lucha", le fue rechazada por aclamación, pidió tiempo para decidir, cuatro días, ("¡No!"), un día ("¡No!"), dos horas ("¡No! ¡Ahora!"). Su comunicación con el pueblo había alcanzado una intensidad única, que esa noche debió de sorprender al mismo Perón. La renuncia efectiva la hizo por radio días después, el 31 de agosto. Un mes más tarde, el 28 de septiembre, volvió a dirigirse a la ciudadanía por radio, con la voz cascada por el dolor: ese día el gobierno había desbaratado un intento de golpe, y Evita llamaba a los peronistas a cerrar filas en defensa de su líder. Esa fue la gran preocupación que ensombreció su último año de vida.

RECLUIDA EN LA RESIDENCIA PRESIDENCIAL, con salidas cada vez más esporádicas, tuvo todavía la energía necesaria para participar en algunos actos públicos, el 17 de octubre de 1951 y el 1 de mayo de 1952, cuando habló por última vez desde el balcón de la Casa Rosada. Su discurso en esa ocasión, en agudo contraste con su cuerpo consumido, fue el más combativo que había pronunciado: "yo saldré con el pueblo trabajador, yo saldré con las mujeres del pueblo, yo saldré con los descamisados de la Patria, viva o muerta, para no dejar en pie ningún ladrillo que no sea peronista".

El 4 de junio, por un milagro de la voluntad, acompañó a Perón en la ceremonia de asunción de su segundo mandato. Moría al mes siguiente. Sus exequias sorprendieron al mundo: cientos de miles de personas desfilaron durante quince días ante su féretro. Luego, a lo largo de un año, el doctor Ara, reputado especialista español, trabajó en el embalsamamiento del cadáver. Se proyectaba erigir un monumento para albergarlo, pero su construcción se demoró, y en 1955, con el derrocamiento de Perón, el cuerpo de Eva seguía en la CGT. En ese momento fue secuestrado, y durante dieciséis años se ignoró su paradero, pese a los muchos reclamos presentados por su familia ante gobiernos democráticos y de facto. En un operativo secreto se lo había llevado a una dependencia militar en el centro de la ciudad de Buenos Aires, y de ahí a Italia, donde con la colaboración del Vaticano se lo enterró bajo nombre falso en el Cementerio Mayor de Milán. En 1971, como parte de las negociaciones entre el entonces presidente militar Alejandro Agustín Lanusse y Perón, el cadáver, ultrajado y mutilado, le fue devuelto a éste en su residencia de Madrid. Quedó allí hasta 1974, cuando, ya muerto Perón, se lo trajo a la Argentina. Desde 1976 reposa en la cripta de la familia Duarte en el Cementerio de la Recoleta, bajo normas de seguridad impuestas por el gobierno militar de entonces.

El culto popular por Evita persistió, agigantado por el tiempo, intacto a pesar de la difamación y de los siempre renovados intentos de desmitificación. Ningún mito más resistente que el que, además, fue una realidad. Y Eva Perón, más allá de la leyenda romántica de la mujer joven y hermosa, adorada por el pueblo, trágicamente desaparecida en la flor de la vida, fue también una realidad política e histórica que cambió a la Argentina. Su obra quedó, en las conciencias y en las calles del país, y no importó que su nombre fuera borrado durante décadas. En el poco tiempo de que dispuso, hizo su trabajo, y nadie pudo hacerlo mejor.

— FRANCISCO M. ROCHA

El Pueblo y Los Sueños

Infancia de María Eva en Los Toldos y Junín

Los padres: Juan Duarte y Juana Ibarguren. En 1926 Juan Duarte murió en un accidente automovilístico camino a Chivilcoy. A partir de entonces, doña Juana debió mantener sola a sus cinco hijos haciendo trabajos de costura.

Eva a los dos años junto a sus cuatro hermanos, vestidos para los festejos de Carnaval en Los Toldos. De izquierda a derecha: Erminda, Elisa, Juancito, Blanca y Evita.

La madre de Evita el día en que recibió su diploma de corte y confección en la academia de costura de Los Toldos. Doña Juana, que aparece de pie a la derecha de su profesora Margarita Otero (sentada), concurrió a la academia para aprender a confeccionar ropa para sus hijos. Años después el oficio le serviría para paliar las dificultades económicas.

Una vista de Los Toldos, el pequeño pueblo natal de Eva, con sus casas bajas y calles de tierra, en la década del 20. Había tomado su nombre de las vecinas tolderías del cacique Coliqueo.

Evita (derecha) a los cinco años, junto a su inseparable hermana Erminda, un año mayor, en el jardín de la casa de Los Toldos, donde jugaban con su perro León, trepaban a los árboles e inventaban juegos nuevos.

Eva a los once años (atrás, derecha) y su hermana Erminda (a su lado), con dos amigas, frente a la casa de la calle Roque Vázquez en Junín. Esta casa fue la primera que habitó la familia al llegar a esa ciudad, donde los hermanos mayores empezaron a trabajar, Elisa en el correo, Blanca de maestra y Juan como viajante de comercio.

Eva, de pie a la izquierda, y Erminda, a la derecha, con dos amigas en una calle de Junín
en 1930. Ese año la familia se había trasladado desde Los Toldos; en Junín, Erminda inició el
colegio secundario y Eva retomó la escuela. Cuando a Erminda le llegaba el turno de secar
los platos, Evita la reemplazaba a cambio de la fotografía de alguna actriz para su colección.

ARRIBA *En una fotografía de fin de curso, Eva y sus compañeros de sexto grado de la escuela de Junín. Para entonces su decisión de ser actriz ya estaba tomada. Después de clase, pasaba por un comercio frente a la plaza principal, cuyo dueño ponía un altoparlante a disposición de los aficionados del pueblo, y recitaba poesías.*

DERECHA *En un camino de Junín, de regreso de un día de campo, Eva (de pie, extrema derecha) y Erminda (extrema izquierda) con amigas del pueblo. Evita era una chica solitaria, soñadora y rebelde; en* La razón de mi vida *dijo: "Como los pájaros, siempre me gustó el aire libre del bosque... Muy temprano en mi vida dejé mi hogar y mi pueblo, y desde entonces siempre he sido libre".*

PÁGINAS SIGUIENTES *Los hermanos Duarte en un almuerzo campestre a orillas de la laguna de Gómez, cercana a Junín. De izquierda a derecha: Blanca, Erminda, Elisa y Evita. Las acompañan dos amigos y su hermano Juancito, que tomó la fotografía. La infancia de Eva transcurrió en un estrecho contacto con la naturaleza.*

Primeros Pasos en la Capital

Eva llega

a Buenos Aires,

1935

Buenos Aires en la década del 30 era una ciudad cosmopolita y contrastada, entre el esplendor del centro y la miseria de los suburbios. Sólo una extraordinaria fuerza de carácter pudo hacer persistir a la adolescente Eva, sola y sin apoyo, en su gran aventura.

Un tango en un suburbio de Buenos Aires, zona entonces de desocupados e inmigrantes. El mismo año que Evita llegó a la gran ciudad moría el ídolo Carlos Gardel en un accidente de aviación en Colombia.

PÁGINAS ANTERIORES (36–37) *Eva Duarte en 1937. Ese año trabajó en la Compañía de Armando Discépolo, uno de los grandes autores y directores de teatro de la época. También tuvo un contrato para un pequeño papel en cine. Ante el pedido de su madre de que regresara a Junín, Eva respondió: " primero conquisto Buenos Aires, después me voy".*

PÁGINAS ANTERIORES (38–39) *El Teatro Corrientes en 1936, año en que Evita participó allí en la obra* Las inocentes, *en un papel muy breve. Eva y sus colegas actrices recorrían los muchos teatros de la calle Corrientes en busca de una oportunidad de trabajo; después de las funciones, que tenían lugar los siete días de la semana, concurrían a los cafés abiertos hasta altas horas de la madrugada.*

IZQUIERDA *En 1939, al cabo de cuatro años de lucha y sacrificios, encabezó su propia compañía de radioteatro y obtuvo un papel en la exitosa obra teatral* Mercado de amor en Argelia, *en la que interpretaba a una odalisca. Aun sin ganar grandes sumas, tenía asegurada su continuidad laboral, y las incertidumbres por el sustento empezaban a quedar atrás.*

DERECHA *A partir de 1939, las revistas más populares del ambiente artístico empezaron a publicar fotografías de Evita en sus portadas.* Guión *lo hizo en enero de 1940 y* Cine Argentino *en marzo de 1941; en esta última aparece junto a Bernardo Gandulla, ambos luciendo la camiseta de Boca Juniors.*

ARRIBA Y DERECHA

Dos retratos fotográficos cuando ya había cumplido los veintiún años. Su actividad en el teatro, la radio y el cine era incesante, y su nombre empezaba a cobrar popularidad. Ni su belleza ni su talento de actriz llamaban demasiado la atención, pero su intensidad y magnetismo le abrieron camino. Su mejor rasgo físico era, y siguió siendo, su piel de magnolia, blanquísima y perfecta.

En distintos momentos de su carrera artística y en una escena de La pródiga *donde proféticamente encarnó a una mujer generosa y protectora del pueblo en que vive, donde la llaman "la madre de los pobres". Cuando la película estuvo terminada, en 1946, Perón ya era presidente, y Eva prefirió que no se estrenara.*

La Actriz
y el Coronel

Eva Duarte une
su destino al de Perón

ARRIBA *Diciembre de 1945. En la Estación Retiro, Evita
recibe con un abrazo a su marido momentos antes de partir
en una gira proselitista por el interior del país para las
elecciones presidenciales, en el tren* El Descamisado.

DERECHA *A su paso por la provincia de Jujuy, la locomotora
del* Descamisado *fue adornada por simpatizantes con plan-
tas y un cartel de Perón. La campaña electoral, en la que se
enfrentaron el Partido Laborista del popular coronel, y la
Unión Democrática, fue violenta de palabra y de hecho.*

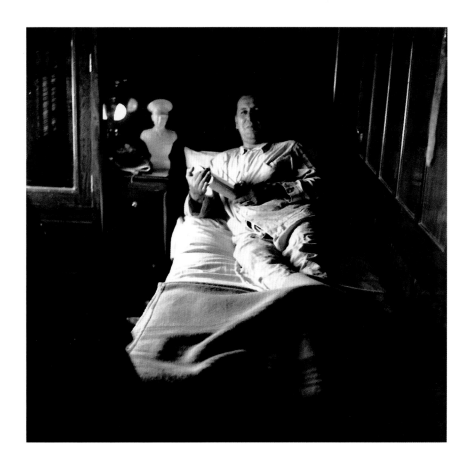

IZQUIERDA *Perón en* El Descamisado *preparándose para la llegada a la provincia de Tucumán, donde fue recibido por una multitud de obreros de los ingenios azucareros.*

DERECHA *Perón en su camarote, disponiéndose a hacer una siesta reparadora en el largo viaje a Santiago del Estero. Durante el trayecto leyó* La vida de Jesús. *A su lado, un busto de él mismo.*

DERECHA *Un almuerzo a bordo del* Descamisado. *Durante la campaña, Eva se mantuvo en un segundo plano, pero estuvo siempre cerca de Perón, asistió a sus reuniones políticas, y mostró una firme decisión de participar.*

PÁGINAS SIGUIENTES *En los pueblos donde se detenía el tren, Eva repartía escudos partidarios y tomaba contacto con el pueblo. Fue la primera vez en la historia del país que la esposa de un candidato lo acompañaba en sus giras proselitistas.*

ARRIBA

En un acto de bienvenida en Santiago del Estero, Perón se dirige desde el balcón central a sus seguidores. En el balcón de la derecha, Eva escucha el discurso y contempla a la multitud: se perfila otra mujer, plenamente entregada a la acción política y social; la actriz ha quedado atrás definitivamente.

DERECHA

Perón y Eva festejaron el año nuevo de 1946 en Santiago del Estero, en casa del doctor Jorge Alvarez. Eva colaboró en la organización de la fiesta, donde se oyó música santiagueña interpretada por un compositor local.

IZQUIERDA
*Desayuno en el departamento de la calle Posadas en diciembre de 1945. La
presencia de Evita al lado de Perón, y su interés activo en la política, comenzaba
a irritar a ciertos sectores de la sociedad y las Fuerzas Armadas.*

ARRIBA
*Eva en el comedor del departamento, que abandonarían poco después;
al asumir la presidencia, la pareja se mudó al Palacio Unzué, usado como
Residencia Presidencial desde la década de 1930.*

DERECHA *En el living, dos meses*
después de su casamiento con Perón.
Eva tenía veintiséis años y Perón
cincuenta. Los políticos y militares
que concurrían a las reuniones que
organizaba Perón en el departamento
se sorprendían al ver a esa joven
participando con tanto interés en la
actividad política de su marido.

Con su hermana Erminda, su madre y su sobrino, hijo de su hermana Blanca.
En 1945 la madre de Evita se instaló en Buenos Aires, lo que le permitió tener un contacto
más frecuente con ella.

DERECHA
Eva Perón en su dormitorio. Evita tenía pasión por los perfumes y los mezclaba obteniendo
sus propias creaciones. Dos meses después de esta fotografía, Perón ganaba las elecciones,
y Eva era primera dama.

Del Escenario a la Política

Eva Perón, primera dama

IZQUIERDA *El 4 de junio de 1946, al asumir la presidencia el general Perón. En las escalinatas del Congreso de la Nación, María Eva Duarte de Perón y María Teresa de Quijano, esposa del vicepresidente. Atrás, entre ambas, Lillian Lagomarsino de Guardo, esposa del presidente de la Cámara de Diputados.*

DERECHA *Festejos en las calles de Buenos Aires al asumir Perón la presidencia. La presencia multitudinaria de la clase trabajadora en el centro de la ciudad, inaugurada el 17 de octubre del año anterior, se repetiría con frecuencia durante la década del peronismo en el poder. Los opositores le dieron un nombre malévolo y pintoresco: "el aluvión zoológico".*

DERECHA *Una fiesta peronista en el*
Babilonia. *Evita prefería las reuniones*
informales a las recepciones de gala;
más que entre funcionarios y
embajadores, se sentía a gusto rodeada
de delegados gremiales, con los que
empezó a trabajar cotidianamente. A
partir de octubre de 1946 se hicieron
habituales sus visitas a fábricas y
barrios humildes.

El día del primer aniversario del triunfo electoral, en la Residencia Presidencial, Evita, Perón y el teniente coronel Domingo A. Mercante, gobernador de la Provincia de Buenos Aires y amigo íntimo de Perón, leen el diario Democracia.

En la Casa de Gobierno, poco antes de que Evita emprendiera la gira por Europa representando a la Argentina. Su nombre y su obra social empezaban a tener resonancia internacional.

Evita, con más energía que Perón, reprende a un policía por apartar a un niño que quería saludarla.

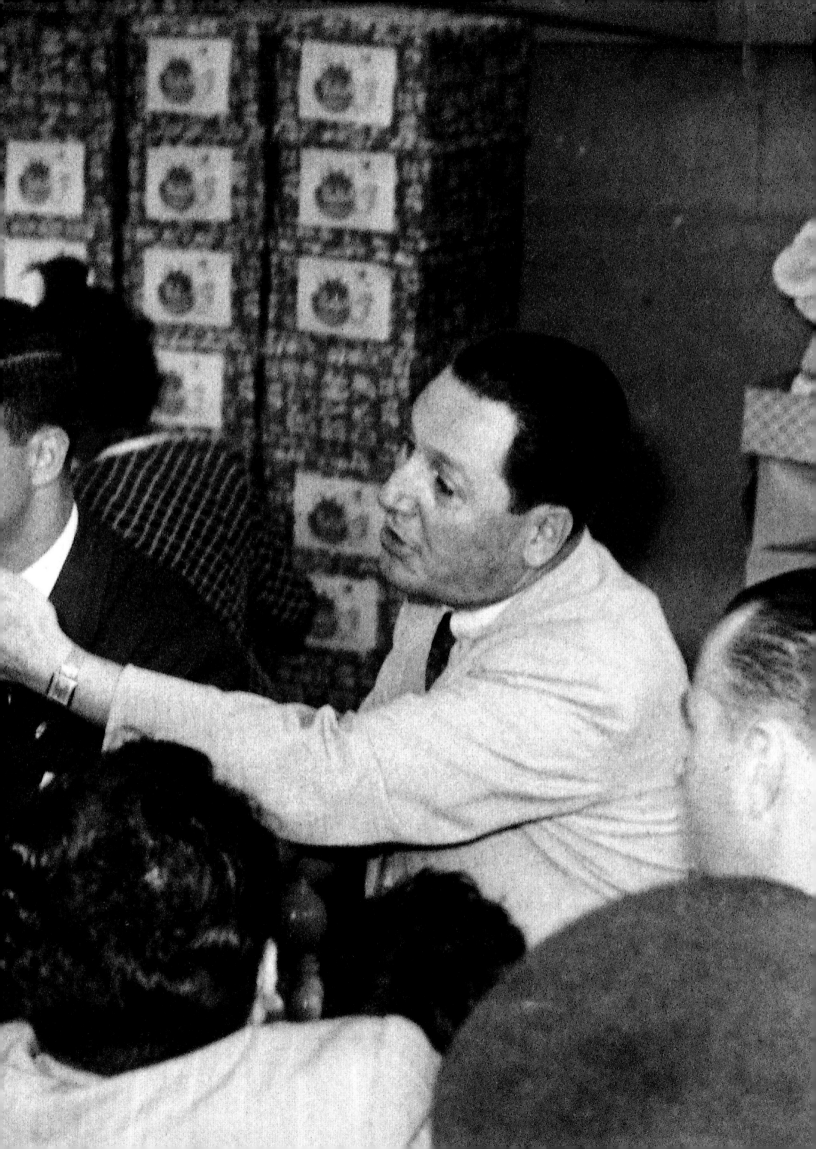

La Conquista de Europa

El mundo descubre a Evita

PAVLVS·V·PONT·MAX·A·X

ARRIBA *Invitada por el alcalde de Madrid, Evita asistió a una corrida de toros; llegó media hora tarde, pero, por excepción, los espectadores no protestaron por la demora del espectáculo. La multitud que la aguardaba estalló en una ovación cuando vio a la bella argentina asomarse desde su palco con una mantilla negra. No le sacaron los ojos de encima durante toda la corrida, lo que motivó las quejas del torero por la poca atención prestada a su faena.*

ABAJO *Tras ser condecorada por el generalísimo Francisco Franco con la Gran Cruz de Isabel la Católica, Evita salió a saludar a la muchedumbre congregada en la Plaza de Oriente que aclamaba su presencia bajo un calor agobiante.*

DERECHA *Una risa de triunfo en Madrid. Eva Perón llegó el 8 de junio de 1947 al aeropuerto de Barajas custodiada por una cuadrilla de cuarenta aviones españoles. Pese a la crisis económica, España se vistió de gala para agasajarla. Fuera de programa, en este como en los demás países recorridos, Evita visitó barrios obreros y pronunció discursos en fábricas.*

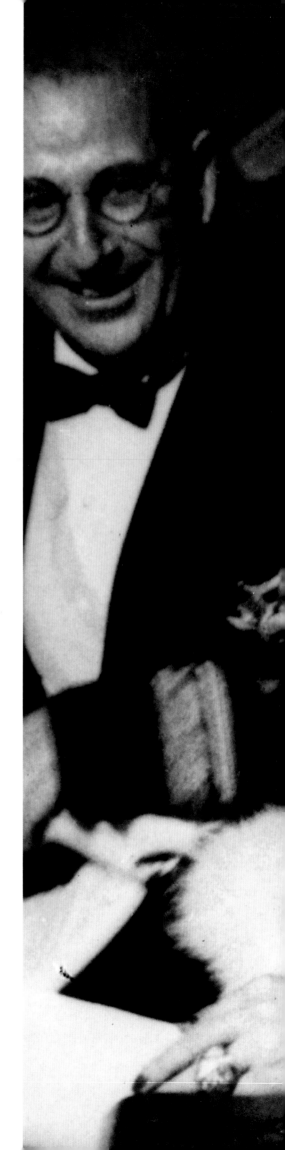

ARRIBA *Con el caudillo español, rumbo a una recepción ofrecida en su honor en el Palacio del Pardo. En esta ocasión Evita lució la Cruz de Isabel la Católica, de piedras preciosas.*

DERECHA *Evita con Carmen Polo de Franco, que no se separó de ella en los dieciocho días que duró la visita a España. Aquí en Barcelona, en una función especial de* Sueño de una noche de verano *ofrecida en el anfiteatro del Palacio de Montjuich, que fue iluminado con gigantescos candelabros.*

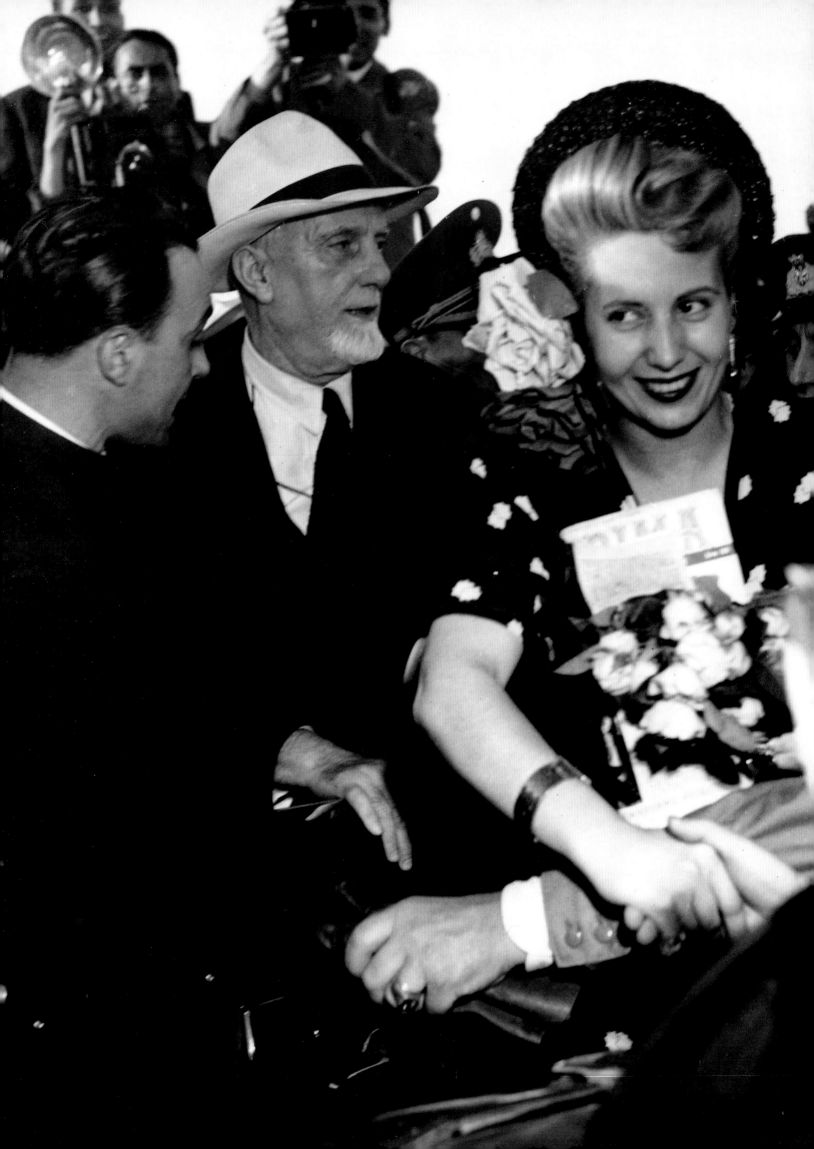

IZQUIERDA *Llegada a Roma, el 26 de junio de 1947. Fue recibida por la esposa del primer ministro Alcides de Gasperi y por el conde Carlo Sforza, canciller de Italia.*

El 21 de julio Eva Perón llegó a Francia, invitada oficialmente por el presidente
Vincent Auriol. En París se alojó en el Hotel Ritz, en la suite Windsor.

IZQUIERDA
Retrato de Evita en Roma dedicado a su amigo Alberto Dodero, quien costeó todos los gastos
de la gira por Europa que se excedían del presupuesto oficial.

ARRIBA
Con el Nuncio Apostólico, monseñor Borgoncini Duca, en una recepción en la Embajada
Argentina en Roma. A diferencia de lo sucedido en España, en Italia hubo una nota
discordante: más de quinientos manifestantes del Partido Comunista se concentraron frente
a la Embajada protestando por la visita de Evita al grito de "abajo el fascismo".

En un almuerzo en Roma organizado en su honor por el gobierno italiano.
De la capital italiana partió a Lisboa, donde se entrevistó con el príncipe Juan de Borbón,
heredero del trono español.

El príncipe Alessandro Ruspolli conduce a Evita a la biblioteca del Vaticano, donde
será recibida por el papa Pío XII, quien le obsequió el rosario de oro que Evita tendría en las
manos a la hora de su muerte, cinco años más tarde.

El 21 de julio Eva Perón llegó a Francia, invitada oficialmente por el presidente
Vincent Auriol. En París se alojó en el Hotel Ritz, en la suite Windsor.

IZQUIERDA Y ARRIBA *Rumbo al* château *de Rambouillet, donde el presidente Auriol le ofreció un almuerzo. Pocos días después, Evita rubricaba un tratado comercial por el cual el gobierno argentino concedía un millonario préstamo a Francia.*

87

ARRIBA

En el Palacio de Watterville, en una recepción ofrecida en su honor durante su visita a Suiza. Evita baila con el ministro de Relaciones Exteriores de ese país, Max Petitpierre. A su llegada a Suiza, una mujer argentina manifestó contra Evita arrojándole tomates que hicieron impacto en el ministro Petitpierre, sentado a su lado.

DERECHA

Un paseo por los Alpes suizos junto al embajador argentino en Suiza, Benito Llambí, quien gestionó la visita a ese país (extrema derecha), Lillian Lagomarsino de Guardo, y miembros de la comitiva argentina. Después de dos meses en Europa, Eva Perón emprendió desde Suiza el regreso a Buenos Aires.

Antes de llegar a la Argentina, Evita asistió en Río de Janeiro a la Conferencia Interamericana de Cancilleres, donde, sentada al lado del ministro argentino Juan Atilio Bramuglia, oyó la palabra de George Marshall, secretario de Estado norteamericano. La presencia de Evita en la entonces capital brasileña produjo desmanes entre admiradores que la seguían, y un gran revuelo entre periodistas que la acosaban a preguntas.

IZQUIERDA Y ARRIBA *Desde el día anterior al arribo de Eva Perón a Buenos Aires, miles de porteños empezaron a concentrarse en la Dársena Norte del puerto para darle la bienvenida. Al descender del barco* Ciudad de Montevideo, *la recibieron su familia y Perón; muy emocionada, Evita pronunció un discurso donde dijo que volvía a ponerse "al pie del cañón, al lado de los descamisados".*

Los Años del Poder

El trabajo, la creación del mito

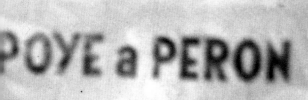

POYE a PERON

*A su regreso de Europa, en una confitería porteña, Eva Perón se reunió con su amiga norteamericana
Betty Sundmarck de Dodero, esposa del magnate naviero Alberto Dodero.*

ARRIBA
*En 1948, durante la inauguración de una central de agua potable en Lomas de Zamora. Ese mismo año,
Evita proclamó los Derechos de la Ancianidad.*

IZQUIERDA
*En octubre de 1948, en una visita a la ciudad de Rosario, la gente trepaba al balcón desde donde Evita
pronunció un discurso, para entregarle flores y cartas con pedidos personales.*

ARRIBA *En la quinta de San Vicente, ubicada a una hora de la ciudad de Buenos Aires, donde el matrimonio Perón se aislaba a descansar los fines de semana. Evita en realidad se aburría y se impacientaba por volver a su despacho. Con el tiempo, sus jornadas de trabajo se extendieron a sábados y domingos.*

IZQUIERDA *Camino a la inauguración de un hospital, en la provincia de Santa Fe, Perón y Eva hacen un alto en el camino para almorzar.*

PÁGINAS SIGUIENTES *En noviembre de 1948, a altas horas de la noche, pronunciando un discurso a trabajadores, rodeada de dirigentes de la CGT. Eva era el contacto entre Perón y los obreros, a quienes pedía constantemente fidelidad al "líder", defensor de sus intereses.*

ARRIBA

En Parque Norte en julio de 1949, arengando con su característica energía a los miembros de un congreso del Partido Peronista. Con el paso del tiempo, su posición en la estructura de poder seguía afianzándose.

DERECHA

Eva en el palco oficial instalado frente al Congreso de la Nación, el día de la jura de la nueva Constitución Nacional, que permitía la reelección de Perón como presidente de la Nación en 1951.

IZQUIERDA
Evita en el Teatro Nacional Cervantes en el acto inaugural de la Primera Asamblea Nacional del Movimiento Peronista Femenino, donde fue proclamada presidenta del Partido Peronista Femenino por miles de mujeres.

ARRIBA
Las mujeres congregadas en el Cervantes escuchan atentamente el extenso discurso de Eva Perón, en el que les pedía "la más estricta fidelidad a la doctrina, la obra y la personalidad del general Perón". Evita legitimó la actividad política de la mujer en una cultura machista. Al poco tiempo de asumir Perón la presidencia les había dicho: "A las mujeres también les llegará la oportunidad de hacerse oír y no ser explotadas como lo han sido hasta ahora".

PÁGINAS SIGUIENTES
Evita con una sonrisa de satisfacción al cierre de la Asamblea, exactamente tres años antes del día de su muerte. Según declaró después, la organización del Partido Peronista Femenino fue una de las empresas más difíciles e importantes que le había tocado realizar.

En abril de 1950, Eva Perón recibe en su despacho a dirigentes de sindicatos estatales
para discutir un aumento salarial a trabajadores de la Municipalidad de Buenos Aires.

ARRIBA

En su despacho, evaluando conflictos gremiales. Evita sorprendía a sus colaboradores por su capacidad de trabajo y por su habilidad para resolver problemas surgidos en sindicatos.

ARRIBA *Evita despidiendo a niños de Santiago del Estero que partían a una colonia de vacaciones de la Fundación Eva Perón en Mar del Plata.*

DERECHA *Desde un vagón en el que recorrió el sur de la provincia de Buenos Aires en 1950, Eva reparte alimentos y ropa. Cuando el tren se detenía en algun desvío, se acercaban a verla los moradores de los ranchos cercanos.*

PÁGINAS SIGUIENTES *A comienzos de 1950 Evita realizó viajes al interior del país. El tren debía parar en puntos que no estaban previstos, debido a las multitudes que se concentraban para impedir el paso hasta haberla visto. Generalmente improvisaba discursos antes de partir nuevamente.*

DERECHA *Evita posó para la fotografía junto con mineros después de haberlos visitado en su lugar de trabajo. Las visitas a las fábricas eran una de las actividades que más disfrutaba. Durante una huelga ferroviaria, se dirigió sola a todos los talleres adheridos, y conversando con los trabajadores, los convenció de levantar el paro.*

DERECHA *Con algunas de las ochocientas enfermeras de la Fundación Eva Perón, por quienes Evita sentía un afecto especial.*

IZQUIERDA *En su despacho atendiendo a una familia humilde. Evita no se retiraba de su trabajo hasta que todos hubieran sido atendidos, generalmente a altas horas de la madrugada. Los pedidos, que iban desde una cama en un hospital hasta una casa para la familia, se resolvían en el momento.*

ARRIBA *Eva Perón celebra un gol en un partido de fútbol del Campeonato Infantil Evita, al que concurrió acompañada por Perón.*

DERECHA *El matrimonio Perón saluda a trabajadores portuarios en Puerto Madero, luego de visitar un barco de la flota Dodero a mediados de 1950.*

PÁGINAS SIGUIENTES *El Palacio Unzué, ubicado en la vieja Avenida Alvear, convertido en Residencia Presidencial en los años 30. Allí vivió Evita desde 1946 hasta 1952, cuando murió en su dormitorio. Al regresar de su trabajo, recogía gente humilde sin hogar que veía en la calle, y la llevaba a la Residencia hasta conseguirle una vivienda.*

ARRIBA
*9 de julio de 1950. El Presidente de la Nación y su esposa, vestida por la casa Dior,
aguardan en el hall central de la Residencia el auto que los conducirá al Teatro Colón.*

DERECHA
*Evita frente al espejo de su dormitorio del Palacio Unzué en una de las pocas fotografías en
que aparece con el pelo suelto.*

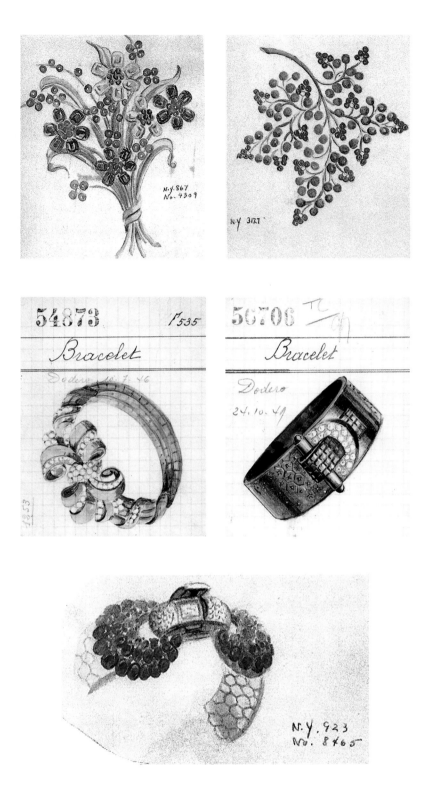

ARRIBA *Bocetos de las joyas hechas especialmente para Evita por las casas Van Cleef & Arpels de París y Nueva York, encargadas por Alberto Dodero.*

IZQUIERDA *Eva Perón seleccionando un anillo de su colección. La mayoría de las joyas eran regalos de gobiernos extranjeros y de su amigo personal Albero Dodero. En sus últimos años las usaba en muy contadas ocasiones; la única que lucía cotidianamente era el gran escudo peronista de piedras preciosas.*

127

Evita en julio de 1950 posa para la fotógrafa Gisèle Freund, en un ambiente especial de la Residencia destinado a guardar sus vestidos y sombreros. Los suplementos de los diarios La Prensa y Democracia *se agotaban rápidamente cuando publicaban fotografías de Evita vestida de gala y luciendo sus joyas en alguna recepción.*

Eva Perón muestra sus vestidos con la ayuda de Irma, su ama de llaves. La casa Dior le enviaba modelos exclusivos desde París. Las ocasiones en que Evita lucía estos vestidos se fueron haciendo más esporádicas a medida que sus jornadas de trabajo se prolongaban y cubrían también sábados y domingos; su preferencia entonces se inclinó por los trajes-sastre y vestidos sobrios.

IZQUIERDA

Evita lista para salir a su trabajo. Se levantaba diariamente a las siete de la mañana y, después de un desayuno liviano, atendía casos urgentes en la Residencia antes de partir a su despacho.

ARRIBA

Con su perra Canela, preparándose para una de sus jornadas de trabajo, de dieciséis o más horas. La atienden Julio Alcaraz, su peinador desde los años de actriz, y su manicura Sarita Gatti. Alcaraz simplificó sus peinados para adaptarlos a los grandes sombreros a los que siguió siendo aficionada.

ARRIBA
Una vista del magnífico parque del Palacio Unzué, visto desde las escaleras de la Residencia.

IZQUIERDA
*A las nueve de la mañana Evita sale de la Residencia rumbo a su despacho en
el Ministerio de Trabajo. Allí la esperan delegaciones sindicales de todo el país y centenares
de mujeres, niños y ancianos que le planteaban necesidades urgentes.*

En marzo de 1951, presenciando una carrera automovilística en compañía de Juan Manuel Fangio.

*Eva habla con Perón mientras el príncipe Bernardo de los Países Bajos filma un baile folclórico,
en un acto organizado en su honor con motivo de su visita a la Argentina. El príncipe le otorgó a Evita,
en nombre de la reina Juliana, la Cruz de la Orden de Orange Nassau.*

IZQUIERDA *Evita en los salones de la Residencia Presidencial, con un vestido de Christian Dior, antes de partir a una función de gala en el Teatro Colón el 9 de julio de 1951.*

ARRIBA
El 9 de julio de 1951, con una capa también diseño exclusivo de Dior.

DERECHA
En su palco del Teatro Colón, acompañada como era lo habitual en
estas ocasiones por Georgina Acevedo de Cámpora, esposa del presidente de la Cámara
de Diputados de la Nación.

138

ARRIBA *En la Residencia Presidencial con el escudo peronista en la solapa y una expresión de fatiga que rara vez captaron las cámaras. Ya se hablaba de su posible candidatura a la vicepresidencia de la Nación, tema que inquietaba a sectores del ejército que nunca aceptarían a una mujer en ese cargo, teniendo en cuenta que ante una posible muerte de Perón, Eva se convertiría en presidente y comandante en jefe de las Fuerzas Armadas.*

DERECHA *El Presidente y su esposa en el Luna Park, siguiendo concentrados una pelea del campeón de box Gatica, gran amigo de la pareja que no se perdía ninguna de sus actuaciones. Al lado de Evita, su hermano Juan Duarte, que cumplía funciones de secretario de Perón.*

El Renunciamiento

Los meses finales

Cientos de miles de hombres, mujeres y niños de todos los puntos del país (se habló de dos millones de personas), se agolparon en gigantescas olas humanas pidiendo a Evita que aceptara la candidatura a la vicepresidencia. Cuando anocheció, con miles de antorchas que iluminaron la avenida, la gente comenzó a corear su nombre. No existen antecedentes en la historia política mundial de una mujer que haya convocado semejante cantidad de gente en una concentración a su favor.

Eva Perón, visiblemente exaltada, se dirige a la multitud. "Mi general, son vuestras vanguardias descamisadas las que están presentes hoy como ayer (...) La oligarquía, los mediocres, los vendepatrias todavía no están derrotados, desde sus guaridas atentan contra el pueblo y la nacionalidad." El propio Perón quedó sorprendido de la intensidad del diálogo que Evita entabló con la multitud. Ella misma se estaba convirtiendo en una mujer de la historia, como las que había interpretado en sus radioteatros seis años atrás.

ARRIBA *El palco levantado frente al Ministerio de Obras Públicas. Bajo el gigantesco escudo peronista se ubicó Evita para dirigirse a la multitud.*

ABAJO *El público agita carteles con la imagen de Evita al aparecer ésta en el palco. Mujeres, niños, ancianos y obreros habían comenzado a aglomerarse en campamentos levantados sobre la avenida desde el día anterior al acto.*

IZQUIERDA *Evita se asoma al palco desde donde improvisará un discurso tratando de justificar su renuncia a la candidatura a la vicepresidencia. La CGT eligió para la concentración la Avenida 9 de Julio, por temor a que la Plaza de Mayo quedara chica. El sindicalismo pretendía demostrar el apoyo popular a la fórmula, con el objeto de forzar la aceptación de Evita.*

147

DERECHA
Un grupo de mujeres peronistas se dirige a la concentración multitudinaria de la Avenida
9 de Julio. Ese día la ciudad amaneció cubierta de carteles con inscripciones referidas a la fórmula
Perón-Eva Perón 1952-1958. Nadie imaginaba que Eva moriría poco menos de un año después.

ARRIBA
Trabajadores portuarios marchan hacia la Plaza de Mayo el 17 de octubre de 1951 en otra
concentración organizada por la CGT y dedicada a Evita, para festejar el sexto aniversario de la
movilización obrera que obtuvo la liberación de Perón en 1945.

PÁGINAS SIGUIENTES
El 17 de octubre de 1951, la multitud que colma la histórica Plaza de Mayo espera ansiosa la
aparición de Evita en los balcones de la Casa Rosada. Para esa fecha ya le había sido diagnosticado
un cáncer avanzado. En todo el país se oficiaban misas por su salud.

148

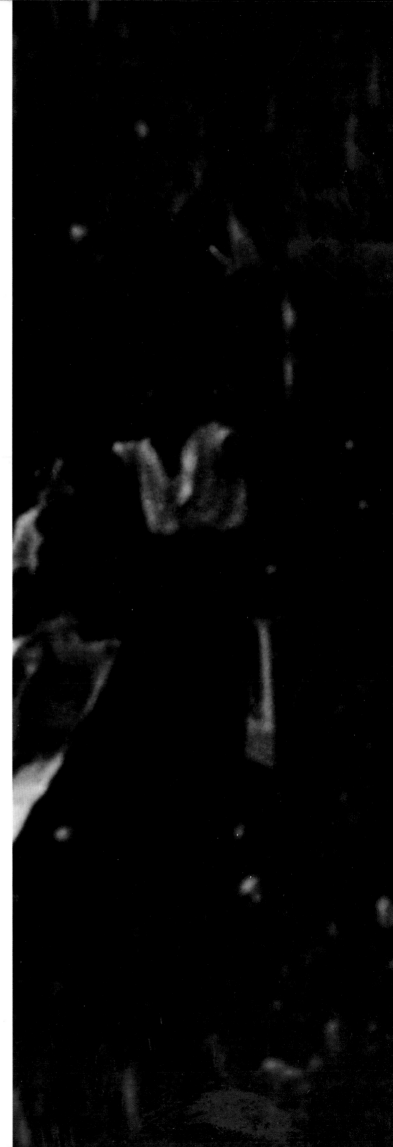

ARRIBA *Emocionada hasta el llanto, Evita se confunde en un abrazo con Perón, en el balcón de la Casa Rosada, luego de ser condecorada con la máxima distinción que otorgó el peronismo.*

DERECHA *Necesitada de apoyo para mantenerse en pie, Evita se despide de la Plaza luego de pronunciar un discurso que fue escuchado en silencio al comienzo, y que finalmente enardeció a la multitud como siempre lo hacía el apasionamiento de su voz.*
"Yo no quise ni quiero nada para mí. Mi gloria es y será siempre el escudo de Perón y la bandera de mi pueblo, y aunque deje en el camino jirones de mi vida, yo sé que ustedes recogerán mi nombre y lo llevarán como bandera a la victoria."

Un automóvil estacionado en un barrio humilde de la provincia de Buenos Aires, con la
leyenda "Dios salve a Evita y proteja a Perón por la Patria y el pueblo". Aunque no admitida
oficialmente, la enfermedad de Evita se difundió como rumor, y comenzó en todo el país una
vigilia de plegarias en iglesias y en altares populares.

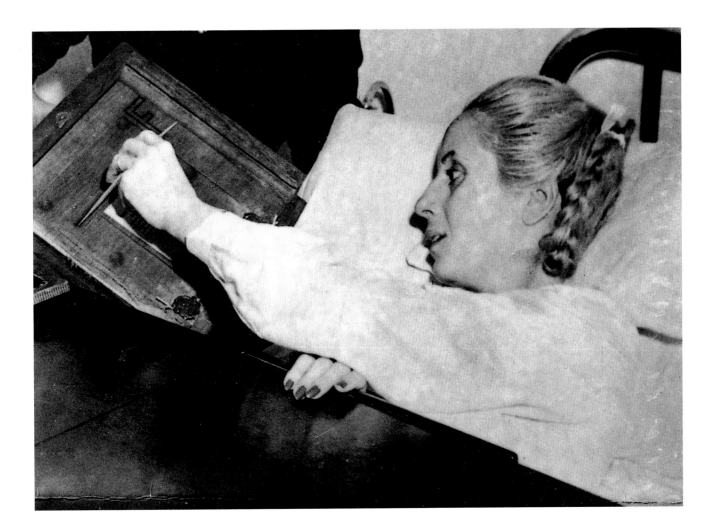

Evita votó por primera (y última) vez en las elecciones presidenciales del 11 de noviembre de 1951, en una mesa habilitada especialmente para ella en el Policlínico Presidente Perón de Avellaneda; luego de hacerlo estalló en llanto. Las mujeres argentinas votaban por primera vez, gracias a los esfuerzos de Eva Perón. Al salir los fiscales, las mujeres humildes que rezaban a la puerta del hospital se precipitaron a tocar la urna como un objeto sagrado. La operación a que se la sometió en esa ocasión fue un éxito, pero no pudo detener el avance del cáncer.

ARRIBA *El 17 de abril concurrió al Salón Blanco de la Casa Rosada para recibir del gobierno de Siria la Orden de las Oméyades, máxima condecoración de ese país. Las salidas de la Residencia Presidencial, donde permanecía en cama, se fueron haciendo cada vez más raras. Allí recibía a escondidas de Perón, que no quería que las visitas la agotaran, a gremialistas para discutir temas de trabajo y mantenerse al tanto de las novedades. Su madre y sus hermanas permanecían día y noche a su lado.*

IZQUIERDA *Cuatro meses después de su operación, nadie pudo impedir que pronunciara un discurso ante trabajadores rurales en el Teatro Enrique Santos Discépolo.*

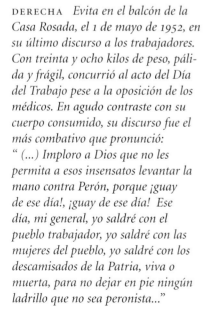

DERECHA *Evita en el balcón de la Casa Rosada, el 1 de mayo de 1952, en su último discurso a los trabajadores. Con treinta y ocho kilos de peso, pálida y frágil, concurrió al acto del Día del Trabajo pese a la oposición de los médicos. En agudo contraste con su cuerpo consumido, su discurso fue el más combativo que pronunció: " (...) Imploro a Dios que no les permita a esos insensatos levantar la mano contra Perón, porque ¡guay de ese día!, ¡guay de ese día! Ese día, mi general, yo saldré con el pueblo trabajador, yo saldré con las mujeres del pueblo, yo saldré con los descamisados de la Patria, viva o muerta, para no dejar en pie ningún ladrillo que no sea peronista..."*

IZQUIERDA

En su último discurso, con la voz cascada por el dolor, Evita insistió en la gran
preocupación que ensombreció sus últimos meses de vida, luego de que en septiembre
de 1951 el gobierno desbaratara un intento de golpe de Estado.
"(...) Yo quiero hablar hoy, a pesar de que el general me pide que sea breve, porque yo
quiero que mi pueblo sepa que estamos dispuestos todos a morir por Perón y que sepan los
traidores que ya no vendremos aquí a decirle presente a Perón, como el 28 de septiembre,
sino que iremos a hacernos justicia por nuestras propias manos..."

ARRIBA

Los ojos tristes de Evita veían por última vez la Plaza de Mayo colmada de descamisados.
Se retiró del balcón en brazos de Perón, oyendo la voz de la multitud que seguía
aclamando su nombre.

ARRIBA
El 7 de mayo de 1952 festejó sus treinta y tres años, junto con Perón y sus perras
Negrita y Canela. Gran cantidad de gente se había reunido en los jardines de la Residencia
para celebrar el cumpleaños de Evita, que ante su insistencia se asomó a saludar.

DERECHA
En una de sus últimas salidas de la Residencia, hechas por su voluntad y en contra del
consejo de los médicos. Ya no podía ocultar el esfuerzo que le costaban.

La mañana fría y gris del 4 de junio de 1952, Perón asume el mando de su segunda presidencia. Evita lo acompaña en la recorrida por la Avenida de Mayo. Fue su última aparición en público.

Evita se despide por última vez en el acto del 4 de junio, en el Congreso de la Nación. Murió al mes siguiente, a los treinta y tres años de edad.

ARRIBA
La puerta de entrada de la Residencia Presidencial. A partir del día de la muerte de Evita, los jardines y alrededores del Palacio Unzué se sumieron en un silencio absoluto. La enorme cantidad de gente que rezaba en el parque había ido a engrosar las filas para su velorio en los salones de la Secretaría de Trabajo y Previsión.

DERECHA
El dormitorio del Palacio Unzué, donde murió Evita el sábado 26 de julio de 1952 a las veinte y veinticinco.

La Nación
de Duelo

Una mujer que superó el cordón policial estalla en llanto al ver pasar los restos de Evita. La noticia de la muerte de la "jefa espiritual de la Nación" sumió a Buenos Aires en el silencio. Dos millones de personas de todos los puntos del país confluyeron en la capital para asistir al velorio, que duró quince días.

*"Llora el pueblo su más grande dolor. EVITA Mártir del Trabajo, Ha Entrado en
la Inmortalidad",* tituló Democracia. *Los diarios que relataban sus últimos días de vida se
agotaron rápidamente. La prensa internacional también le dio amplio espacio al tema.*

ARRIBA
Un grupo de mujeres llora con desconsuelo la muerte de Eva Perón. A la derecha, el padre
Hernán Benítez, confesor y amigo de Evita. El gobierno decretó de inmediato duelo nacional,
pero la reacción pública superó todos sus cálculos. La muerte ponía al descubierto la
dimensión afectiva que había generado la figura de Evita.

PÁGINAS SIGUIENTES
Interminables filas se extendieron en un radio de treinta cuadras a la redonda del
Ministerio de Trabajo donde se instaló la capilla ardiente. Durante trece días seguidos
alrededor de un millón de personas pasaron por el Ministerio para ver de cerca el cuerpo de
Evita. Sólo se oía el rumor monótono de los pasos, y los sollozos.

Un hombre corre hacia el Ministerio para depositar una corona. De todo el mundo llegaban aviones cargados de flores enviadas por gobiernos y particulares.

El monumento del presidente Julio Argentino Roca presencia el despliegue de coronas florales en las veredas del Ministerio de Trabajo, una vez colmada la capacidad del interior del edificio.

TRABAJADORES DEL
ARSENAL NAVAL Bs. AIRES

Improvisados jardines invadieron el centro de Buenos Aires en pleno invierno debido a la cantidad de flores que seguían llegando al Ministerio. En contraste con el fasto oficial establecido en el velorio de la Primera Dama, en los ranchos más humildes del interior del país no faltaban los pequeños altares con una imagen de Evita rodeada de velas y flores.

El cuerpo pasa frente a la Catedral de Buenos Aires y se dirige hacia el Congreso de la Nación. El mundo contempló asombrado uno de los funerales más imponentes de la historia.

ARRIBA
Luego de finalizar el recorrido por la Avenida de Mayo la cureña que lleva el ataúd,
tirada por dirigentes sindicales e integrantes del Partido Peronista Femenino, se aproxima al
Congreso de la Nación para rendir honores a Eva Perón. El paso del cortejo registraba
una variedad de escenas: desmayos, llantos descontrolados, mujeres arrodilladas
rezando, y una lluvia de flores arrojadas desde los edificios.

ARRIBA *Rumbo a la sede central de la Confederación General del Trabajo. Una marea humana cubrió las calles de Buenos Aires para dar el último adiós a Evita. Dieciséis personas murieron aplastadas y cuatro mil fueron hospitalizadas.*

IZQUIERDA *Una carroza con obreros en ropa de trabajo encabezaba el cortejo que desde el Congreso de la Nación se dirigía hacia el edificio de la CGT donde el cadáver permaneció tres años, hasta que fue secuestrado en un operativo secreto por un comando de la Revolución Libertadora. Con la colaboración del Vaticano, se lo enterró con nombre falso en un cementerio de Milán, y por dieciséis años se ignoró su paradero. Desde 1976, año en que fue devuelto a la familia, reposa en el Cementerio de la Recoleta.*

181

Dos imágenes registradas en un acto en homenaje a Evita tres años después de su muerte y dos meses antes de que Perón fuera derrocado. Después de la Revolución Libertadora, el afecto popular por Evita seguía intacto, aunque entonces poseer una imagen suya podía costar años de cárcel.

ARRIBA

*Días después de la caída de Perón, un retrato de Evita, en un cuarto vacío de la Residencia Presidencial, espera
ser quemado junto con muchos objetos personales suyos; la Residencia misma sería demolida poco más tarde.*

DERECHA

*Miles de pañuelos se agitan frente al gigantesco palco levantado para el último homenaje popular a Eva Perón
durante el gobierno peronista, en 1955.*

PÁGINAS SIGUIENTES

*Una mujer vestida de luto se acerca a tocar una corona con una imagen de Evita en una calle de Buenos Aires,
durante el último homenaje antes de la Revolución Libertadora. Odiada por unos, santificada por otros,
Eva Perón fue una realidad histórica y política que dejó una huella imborrable en la Argentina.*

Agradecimientos

NUESTRO PRIMER AGRADECIMIENTO es para Nicolás García Uriburu, por su estímulo para que emprendiéramos este proyecto y su ayuda incondicional durante todo su desarrollo. Y para Alberto Dodero, que también colaboró con nosotros desde el comienzo y nos abrió su valioso archivo familiar.

El generoso apoyo de las hermanas de Eva Perón, Blanca Duarte de Alvarez Rodríguez y Erminda Duarte de Bertolini, nos permite publicar por primera vez fotografías de la infancia de Evita, etapa de su vida sobre la que se han hecho suposiciones que estas imágenes ayudarán a corregir. Extendemos nuestra deuda de gratitud a Cristina Alvarez Rodríguez, presidenta de la Fundación de Investigaciones Históricas Evita Perón, por su tiempo y dedicación desinteresada a lo largo de este proyecto.

En Rizzoli International Publications, New York, nuestro más sincero agradecimiento a Solveig Williams, que apoyó el libro desde el momento en que vio las primeras fotos, y lo siguió en cada detalle hasta su concreción final; y a David Morton, Elizabeth White, Megan McFarland y Harris Sibunruang, con quienes fue un placer trabajar.

A Charles Churchward, que intervino con su ojo experto en la selección final de fotos y nos aportó ideas brillantes. A Nuestro amigo César Aira, que nos dio consejos sensatos y nos ayudó en los momentos difíciles.

Agradecemos muy especialmente a Mónica Douek por su excelente trabajo de investigación fotográfica en París. Y a Massoumeh Farman-Farmaian, que trabajó eficientemente junto a nosotros en Nueva York.

De una u otra manera, colaboraron con nosotros a lo largo del proyecto: Sarah Jane Freymann, Javier Arroyuelo, Embajador Benito Llambí, Jorge Antonio, Carmen de Iriondo, Felicitas Luna, Emilio Lamarca, Paulette Villanueva, Francis Echauri, Graciela García Romero, Alicia Sanguinetti, Eduardo Ayerza (h), Matilde Gyselynck, María Cristina Monterubbianesi, Diana Castelar, Arq. Fabio Grementieri, Nina Beskow, Eduardo García Belsunce, Noemí Castiñeiras, Elsa Palilla, Angel Farías, Roberto Müller, Ana Silvia Herrera y Kevin Hanek. A todos ellos, gracias.

También a Marie Beauchard y Claude Lenoir, de Van Cleef & Arpels, París; y a Muffie Potter, Peter S. Kairis y Lisa Cochin de Van Cleef & Arpels, New York.

En el Archivo General de la Nación agradecemos a Miriam Casals, jefa del Departamento de Documentos Fotográficos, a Verónica Neme, Gabriela Alvarez Casals, Marcelo Quilez, Pablo Tripicchio y María Evangelina Pravato. En el Museo del Cine, a María del Carmen Vieites y Andrés Insaurralde. En el Archivo del diario Clarín, a Miguel Angel Cuarterolo. Queremos destacar el trabajo de reproducciones fotográficas de César Caldarella y Juan Carlos Banchero, y el de Federico Zampaglione.

Finalmente, un especial reconocimiento a los fotógrafos Inocencio Caruso y Alfredo Mazzorotolo, que nos permitieron publicar fotografías inéditas de Evita.

- TOMÁS DE ELIA Y JUAN PABLO QUEIROZ

Bibliografía

Borroni, Otelo y Roberto Vacca. *La Vida de Eva Perón.* Tomo 1: Testimonios para su historia (Buenos Aires: Editorial Galerna, 1970).

Castiñeiras, Noemí. *Ser Evita.* Inédito (Buenos Aires, 1996).

Chávez, Fermín. *Eva Perón en la historia* (Buenos Aires: Editorial Oriente, 1986).

Duarte, Erminda. *Mi hermana Evita* (Buenos Aires: Ediciones Centro de Estudios Eva Perón, 1972).

Guardo, Lillian Lagomarsino de. *Y ahora…hablo yo* (Buenos Aires: Editorial Sudamericana, 1996).

Navarro, Marysa. *Evita* (Buenos Aires: Editorial Planeta, 1994).

Page, Joseph A. *Perón: A Biography* (New York: Random House, 1983).

Perón, Eva. *La razón de mi vida* (Buenos Aires: Ediciones Peuser, 1951).

Tettamanti, Rodolfo. *Eva Perón* (Buenos Aires: Centro Editor de América Latina, 1971).

Sebreli, Juan José. *Eva Perón: ¿aventurera o militante?* (Buenos Aires, Editorial Siglo xx, 1966).

Créditos Fotográficos

Los siguientes números indican las páginas.

Agence France Presse: 68, 178, 181 (derecha).

Agencia EFE, Madrid: 74 (arriba y abajo), 77.

Antena. Cortesía Hemeroteca de la Biblioteca Nacional: 44 (extrema derecha, segunda desde abajo; abajo, centro).

AP / Wide World Photos: 78–79, 90, 103 (derecha).

Archive Photos: 138, 140 (izquierda).

Archive Photos France / Archive Photos: 154, 160.

Archivo *Clarín*: 172, 173, 179.

Archivo General de la Nación: 24 (abajo), 34, 35, 64, 65 (abajo), 107, 114 (izquierda), 118, 119 (abajo), 132, 135, 136–137, 143, 144, 145, 147 (arriba y abajo), 148, 149, 152, 153, 155, 157 (derecha), 162, 189.

Balzami. Cortesía archivo familia Dodero: 98–99.

Cornell Capa / Magnum Photos, Inc.: 11, 167, 182, 183, 184, 185, 186–187.

Francisco e Inocencio Caruso: 94, 102, 108, 115, 116–117, 121, 171, 176–177, 180.

Cine Argentino. Cortesía Museo del Cine Pablo Ducrós Hicken: 41 (abajo).

Horacio Coppola: 38–39.

Corbis–Bettmann: 47, 69, 75.

Foto Crescente, Roma: 80.

Alfred Eisenstaedt / LIFE Magazine © TIME Inc.: 170, 174, 175.

Evita International Foundation, Miami: 13.

Hilario Angel Farías: 134.

Gisèle Freund / Agence Nina Beskow: 2, 5, 124, 125, 126, 128, 129, 130, 131.

Fundación de Investigaciones Históricas Evita Perón: 21, 22, 23, 24 (arriba), 25, 26, 27, 28, 29, 30–31, 60.

Cortesía Fundación de Investigaciones Históricas Evita Perón: 45, 158–159.

Nicolás García Uriburu: 192.

Manuel Gómez: 122–123, 133, 166.

Guión (Foto: Annemarie Heinrich). Cortesía Graciela García Romero: 41 (arriba).

Marie Hansen / LIFE Magazine © TIME Inc.: 106, 109, 110–111.

Annemarie Heinrich: 6, 36–37, 40, 42, 43.

Enrique Herrera. Cortesía Ana Silvia Herrera: 165.

The Hulton Getty Picture Collection Limited: 44 (extrema derecha, segunda desde arriba), 112, 113.

Inter Prensa / Black Star: 70–71.

Tony Linck / LIFE Magazine © TIME Inc.: 84, 85, 86, 87.

Jean Manzon / © TIME Inc.: 92, 93.

Alfredo A. Mazzorotolo: 66–67, 97, 100, 101, 104–105, 150–151, 161.

Thomas McAvoy / LIFE Magazine © TIME Inc.: 48, 49, 50, 51, 52, 53, 54, 55, 56, 57, 58–59, 61, 65 (arriba).

Meldolesi / Black Star: 81.

Cortesía Museo del Cine Pablo Ducrós Hicken: 44 (abajo, extrema izquierda; arriba, derecha).

Eva Perón. Subsecretaría de Informaciones de la Presidencia de la Nación, 1952: 9, 82, 120 (izquierda).

John Phillips / LIFE Magazine © TIME Inc.: 73.

Fernando Prado. Cortesía archivo familia Dodero: 63.

Roger Viollet: 83, 88, 89.

Michael Rougier / LIFE Magazine © TIME Inc.: 95 (derecha).

Sintonía. Cortesía Museo del Cine Pablo Ducrós Hicken: 44 (arriba, extrema izquierda; abajo, extrema derecha; centro, extrema izquierda; centro).

Photo Sommer, Samaden. Cortesía Embajador Benito Llambí: 91.

SYGMA / Keystone: 76 (izquierda), 139.

Cortesía revista *Todo es Historia*: 163.

UPI / Corbis–Bettmann: 141, 146, 156, 164.

Foto Valenti: 33.

Van Cleef & Arpels, New York: 127 (arriba, izquierda y derecha; abajo).

Van Cleef & Arpels, Paris: 127 (centro, izquierda y derecha).

Reproducciones fotográficas:

Caldarella & Banchero: 6, 9, 21 a 31, 33, 43, 45, 60, 63, 64, 65 (abajo), 80, 82, 98–99, 107, 114, 118, 120, 132, 135, 136–137, 143, 144, 147, 148, 149, 152, 153, 155, 157, 158–159, 162, 163, 189, 192.

Guido D. Chouela: 41 (abajo), 44 (arriba, extrema derecha; abajo, extrema izquierda), 133, 166.

Federico Zampaglione: 24 (abajo), 34, 35, 44 (arriba, extrema izquierda; centro, extrema izquierda; centro; extrema derecha, segunda desde abajo; abajo, centro; abajo, extrema derecha), 91, 145.